2. SETSUKO

DESSIN
JUNG

SCÉNARIO ET DIALOGUES
JUNG ET JEE-YUN

COULEURS
JUNG ET JEE-YUN

DELCOURT

Merci Nathalie pour ton infinie et précieuse collaboration sur Kwaïdan.
Merci Thierry pour ton soutien et ton amitié.
J.

Dans la même série :
Tome 1 : L'Esprit du lac
Tome 2 : Setsuko

Du même dessinateur, chez le même éditeur :
• La Jeune Fille et le Vent (trois volumes) - scénario de Ryelandt

Chaque mois, lisez

Pavillon
Rouge▽

le magazine de bande dessinée
des Éditions Delcourt

Chez votre marchand de journaux
et votre libraire spécialisé

© 2002 Guy Delcourt Productions

Tous droits réservés pour tous pays.
Dépôt légal : mai 2002. I.S.B.N. : 2-84055-815-7

Conception graphique : Trait pour Trait

Achevé d'imprimer en avril 2002
sur les presses de l'imprimerie Lesaffre, à Tournai, Belgique.
Relié par Ouest Reliure à Rennes.

www.editions-delcourt.fr

HA!... Celui-là ne m'échappera pas.

HOHOOO! Zut, un couple d'Oshidori *... les tuer serait fatal !...

Le mâle a senti ma présence.

Envolez-vous... Et toi monsieur Oshidori, protège ta bien-aimée.

Pfuu! Je suis trop sentimental, un jour ça me perdra. Bon, ben, c'est pas aujourd'hui qu'on remplira nos ventres.

Heu... plutôt le sien... Le mien n'est plus à remplir.

Hêtooo! On se réveille l'aveugle!

Allez, bois un peu, c'est pas le moment de faire la sieste.

Ta bien-aimée se meurt.

Qui es-tu ?... Pourquoi, toi qui vis dans l'au-delà me viens-tu en aide ?!...

Je suis Toshiro Ikeda, troisième du nom. J'étais un valeureux guerrier au service d'un seigneur. Aujourd'hui, je suis plutôt un habitué des maisons closes! Si tu vois ce que je veux dire.

C'est étrange, habituellement la présence des esprits me fait peur, mais toi tu...

JE SAIS! Ça fait longtemps que je n'fais plus peur à personne.

2

ù est-elle
oshiro?...

Derrière toi
Seminaru.

Je sais que tu es aveugle.
Mais avec tes yeux, tu ne
verrais de toute façon
qu'une forêt de
bambous.

C'est... une
forêt d'âmes
perdues...

Ton maître t'a enseigné,
alors trouve Setsuko!...
Regarde à l'intérieur
des bambous... l'un
d'eux souffre. Mais
attention, tu n'as pas le
droit à l'erreur.

Souviens-toi,
la réponse
est en toi.

TOSHIRO?
Par tous les
Kamis...?! est
parti!

Arrête Seminaru,
ressaisis-toi!
Concentre-toi!
...

3

Là, l'endroit me semble bien choisi...

Je ne la trouverai jamais ainsi. La réponse est en moi a-t-il dit, mais où ?...

5

7

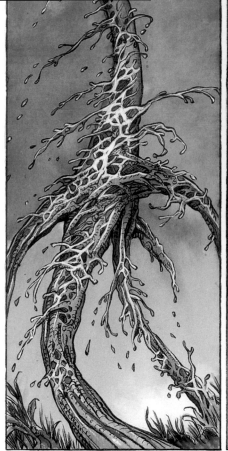

Viens là... Je suis là, calme-toi... comme tu es faible ... le cauchemar est terminé.

Setsuko!...

Seminaru ...

Ce...ce n'est pas fini... les racines, le mal est encore là...

6

Je le sens aussi... viens! Tiens-toi à moi, quittons cet endroit qui respire la mort.

OH NON!!... TROP TARD, CETTE FOIS C'EST LA FIN!!...

AAAAAAAAAAAAHHHHH!!!!

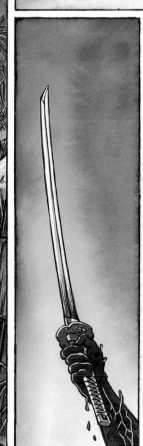

7

Maître.. Je suis désolé..

Je peux sentir votre déception. J'ai failli, pardonnez-moi, je vous en prie.

TCHAK!

TCHAK!!...

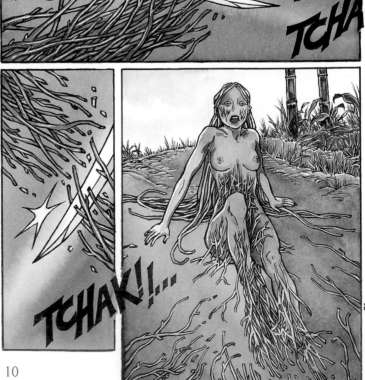

8

10

Et bien chère soeur? Quelle est donc cette agitation?

Comme si tu l'ignorais? Espèce d'hypocrite. J'ai été mise au courant de ce que tu manigances depuis les bas-fonds où tu te complais?...

Cette histoire d'amour irréelle entre une jeune fille masquée. et un aveugle. Mais crois-moi je ferai en sorte que cette histoire reste impossible!

IMPOSSIBLE TU M'ENTENDS ?!...

Mais...
je...

NOON!!
...

Alors Akane ! Que penses-tu de mon monde ?... Car ici, ta toute-puissance s'amoindrit. Et que crois-tu donc pouvoir encore me faire que tu n'aies déjà fait, en dépit de notre lien de sang !...

Mais aujourd'hui vois-tu, tu viens de me faire un merveilleux cadeau... me redonner espoir. J'ignorais que l'enfant ait survécu.

Maintenant, grâce à toi, je suis rassurée... Alors battons-nous, cette fois à armes égales.

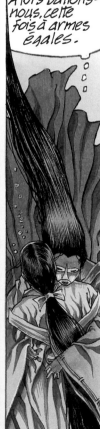

Rejoins-moi dans mon monde Akane.

ARGH!! ARGH!!...

JE TE HAIS ORIN! À partir de cet instant, la guerre est déclarée... mais ce que j'ai de plus que toi, c'est une armée et l'immortalité! HA! HA! HA! HA! HA!!...

13

C'est étrange...bien que les racines disparaissent, je sens le mal grandir en moi.

Étrange comme ce samouraï aux yeux ensanglantés sans qui je ne serais jamais sortie de cet enfer...

Cesse de te ronger Setsuko...

Regarde, j'ai retrouvé ton masque.

Seminaru, je...

Je ne peux t'expliquer ce qui se passe en moi, je ne le comprends pas moi-même. La seule certitude que j'ai, c'est que je dois me rendre au lac d'Amada.

Cela nous le savons tous les deux Setsuko. Mais nous sommes au coeur du domaine interdit...nous devons avancer avec prudence, car ici, la réalité et l'illusion se confondent.

Ce que j'ai vécu dans cette forêt de bambous, dans ces racines, dans leur mémoire était bien réel pourtant.

Cette petite fille criblée de flèches, c'était moi... et on l'a tuée.

Et avec elle, une enfance que je n'ai pas demandée.

On ne change pas le passé Setsuko.

Et si tu ne peux l'accepter, essaye au moins de vivre avec lui...

Non Seminaru, je suis sûre que cette vie-là n'aurait pas dû être mienne.

Conduis-moi à ce château et à son lac. Je serai tes yeux.

Nous devons dormir maintenant. Il est tard et la route est encore longue.

AAAAHH?!....

SETSUKO?!...

SETSUKO!!
...

15.

Par tous les Kamis! Où est-elle partie??!...

SETSUKO!...

HUN?

HÉ L'AVEUGLE!

ATTENDS!

ATTENDS! J'AI DIT!!...

AAAARRGH!? MAIS?...

HÉ HÉ...

Où cours-tu ainsi petit?... Serais-tu encore à la recherche de ta belle? Hein?!

Aide-moi à la retrouver TOSHIRO! Seul, je n'y arriverai pas?!...

TOSHIRO?!...

Mais si! T'es un grand garçon, non?

Et puis, à quoi bon courir, il y a tellement d'autres femmes, hein? Bon, bon d'accord, je vais être sérieux. De toi à moi, ta belle, il faut que tu la laisses vivre!...

C'est pas facile, mais si tu ne veux pas la perdre, alors aie foi en elle en qui tout bascule. Et dans tout ce désordre, la seule chose dont elle soit sûre, c'est son amour pour toi, et elle reviendra!

Je n'en suis pas si sûr...

Ecoute petit, ta Setsuko, elle sait se défendre, se battre, et c'est ce qu'elle va éprouver... Pour le moment, c'est le seul moyen pour elle de libérer sa souffrance.

16.

18

Elle ne comprend pas, elle veut des réponses. Elle s'est isolée dans une forteresse de doutes.

Elle combattra quiquonque se mettra en travers de sa route. Les situations qu'elle n'a pas pu contrôler auparavant, elle veut les dominer à présent. Et si tu ne lui permets pas, alors ce sera

sur toi qu'elle se retournera ...

HOLÀ ! Qui va là ? Un être masqué ! N'approche pas, ou dévoile-toi !

Elle ne veut pas répondre... Très bien, laissez-la moi, je saurai la faire parler !...

17

KLING!!....

ATTENDS! Mais attends-moi Setsuko... C'est pas juste !...

Je vais l'attraper Shinji, et toi pas !... NANANA !...

Et hop! youpy... Regarde-moi le travail !

CLAP!!

ARRÊTEZ ? MAIS ARRÊTEZ !...

LAISSEZ-LA !...

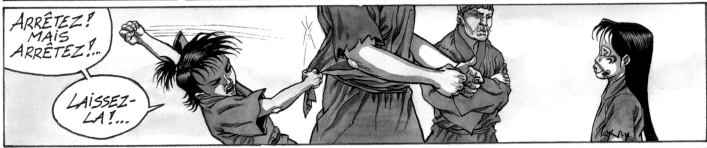

VA-T'EN SHINJI !

CLAC!!...

On t'avait dit de ne pas jouer avec ce porte-poisse... Et maintenant, on va une bonne fois pour toutes débarasser le village des présences malfaisantes.

21

23

25

Alors papa... elle va bien ?...

Tout doux Shinji, laisse-lui le temps. Setsuko, pauvre enfant. Ce qu'ils ont osé faire... c'est inhumain. En tout cas, cela fait un petit temps que j'y réfléchis... le moment est venu pour toi de quitter ce village.

Pourquoi, Sanpei ? pourquoi moi ? J'ai eu trop peur...

Je sais petite. Écoute, je connais une dame à la ville qui pourra prendre soin de toi... j'hésitais, mais tu seras mieux chez elle.

Mais alors je n'te verrai plus, et Shinji non plus... et moi... je n'ai que vous deux...

Oui petite, mais ici cela devient trop dangereux...

Et il faut vivre Setsuko...

24

Setsuko...

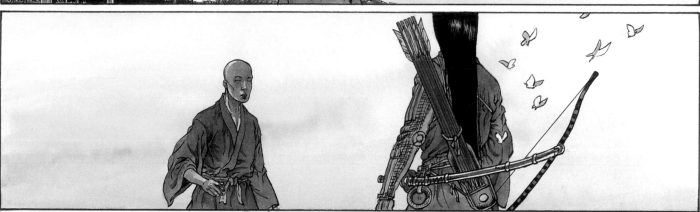

Une chenille voit le jour, laide et repoussante, mais le moment venu, elle tisse sa chrysalide et s'y enferme inexorablement... Elle affronte cet instant sans crainte, et lorsqu'elle réapparaît elle peut enfin s'envoler pour accomplir sa destinée.

Setsuko, NOTRE DESTINÉE! Et nous l'accomplirons ensemble.

Hmm... Si tu pouvais voir l'aube comme je la contemple Seminaru... Verrais-tu un jour nouveau?...

27.

Soyez sans pitié, et de mon côté, je prierai pour votre victoire.

Ah! Prier... Oui, je vais prier mon arme secrète d'agir de son côté.

Car c'est bien la seule arme en qui j'ai confiance, la seule qui puisse m'assurer la victoire.

On peut l'affronter, mais jamais sans dommages...

Nous y voilà.

Merci mes amis, vous pouvez disposer.

Bonjour mes amours. Il est temps pour vous de vous réveiller.

28

Seminaru... es-tu certain de ne pas t'être trompé de chemin ?...

C'est bizarre, ici tout est différent. Il n'y a plus de bambous, mais des sapins...

Ne t'inquiète pas. D'après ce que tu me dis, nous sommes sur la bonne route. Par contre, est-ce bien de la neige qui s'est mise à tomber ?

Oui et j'adore... la neige crée une atmosphère de douce magie... tellement pure.

Froide et traîtresse aussi. Viens, on va voir s'il est possible de s'abriter.

BOM BOM!!!...

Il y a quelqu'un ? Peut-on entrer ?

Cette demeure a l'air inhabitée...

Il y a un poêle, je vais chercher du bois pour qu'on ne meure pas de froid.

Tiens! C'est étrange, il ne me semblait pas que ce miroir était là.

C'est toi qui l'as placé là Seminaru?

AAAAAAAH!

Que se passe-t-il Setsuko? Parle-moi!

Je...je... C'est impossible! Je devrais me refléter, et c'est...

C'est la femme que tu peins qui apparaît dans le miroir!

Mais, que me racontes-tu?... Je ne comprends rien!

Je te dis que la femme qui se reflète dans le miroir, ce n'est pas moi, mais celle que tu t'amuses à peindre!...

Viens! Allons-nous en! Vite! C'est sûrement un piège!...

30

31

Un reflet dans un miroir est si fragile... J'avais tant de choses à te dire.

Si tu savais à quel point tu es belle...

Et à quel point tu me ressembles...

Que je m'en veux cependant de ne t'avoir transmis que mon côté sombre, celui qu'il faut cacher.

Que ne ferais-je pour pouvoir réparer le mal que je t'ai fait.

Tu ne mérites pas ce destin qui est le mien. Et l'ironie du sort veut que je ne peux te libérer que si toi tu me libères auparavant...

Mais je me battrai Setsuko, et de toutes mes forces pour que tu puisses vivre enfin ton destin.

32

ATTENDEZ !!...

HOP!!

HOP!!

HOP!!

HEP!!... Et voilà le travail!...

Je suis un génie!!... J'ai découvert le moyen de faire un bonhomme de neige en un temps record!...

Et tout ça, sans se fatiguer! HAHAAAA!!

TOSHIRO?!... Mais tu fais encore partie de ce monde!!...

34

Par contre, vous, toujours fidèles au poste ! Obéir sans réfléchir.

Ben ouais ! Mais étant quelqu'un d'intelligent, j'ai décidé de profiter du temps qui passe pour enfin faire ce qui me plaît... La belle vie quoi !

Bande de niais que vous êtes !... DEBOUT LÀ-DEDANS !...

KLAK!

KLAK!

KLAK!

KLAK!

Alors, éveillés ?!...

AH !!... Je constate que oui... enfin, pas tout à fait comme je l'attendais...

Est-ce que vous réalisez maintenant que vous êtes morts ? Vous n'êtes plus les bons petits soldats qui mourront pour une noble cause ! Alors, fêtez ça ! Prenez du bon temps.

Vous y avez droit.

35

Que cherches-tu à faire TOSHIRO ?! Il suffit !... Encore un mot pour inciter à la mutinerie et je te tue !

Mutinerie ? Toi t'as toujours rien compris ! ET BEN VAS-Y ! TU VERRAS !

HA ! HA ! HA ! C'est ça ? Chatouille-moi ! J'adore ça !...

MAIS QUE...? TU N'ES PAS MORT ? Alors, que puis-je bien faire pour te faire taire ?...

Je me tairai si je veux bien et quand je le voudrai !

Rien ne vaut la liberté.

Mais ça, avant que vous le compreniez, 'faudrait essayer.

Seulement, allez-vous oser vivre sans qu'on vous dise comment faire ?

Bien ! Ni vu, ni connu... Beau travail TOSHIRO !...

Chuut ? Écoute... Vite, cachons-nous.

Et toi, tu te contentes de lui obéir au doigt et à l'oeil...

Non, mais moi j'ai compris qu'il ne sert à rien d'essayer de contrecarrer son destin.

Mais... ce n'est qu'un enfant !?... Ces monstres pourchassent un enfant ! Je ne peux assister à ça ! Il faut l'aider...

ATTENDS ! Ils ont peut-être de bonnes raisons !

Raisons ?... Mais c'est toi qui t'égares. Qu'est-ce qui peut justifier une chasse à l'enfant ?...

37

38.

40

Tirer, tuer, sans même laisser parler...Bravo! Je comprends maintenant ce qui fait de nous des êtres humains : l'impulsivité!

Mais oui c'est cela, ironise, c'est plus confortable que d'agir.

Où s'est-il caché? Il doit être terrorisé !

Il est juste derrière nous, ce que je n'apprécie pas du tout.

Te voilà, petit... tu n'as rien, ils t'ont fait du mal ?...

Ce n'est rien. N'aie pas peur, c'est fini. Que tu es vulnérable, comment t'appelles-tu ?...

Je voudrais une maman... pourquoi elle n'a pas voulu de moi ?

À cause de mon visage? Dis-moi Sanpei ...était-elle belle ?...

AH ! NoooON! C'est impossible ! Ne... ne me touche PAS !...

AAAH! Tu m'étouffes... je... SEMINARU ! AIDE-MOI !...

39.

Tu disais vulnérable? Fuyons Setsuko! Je sens trop de choses...

FUIR?!... Vous n'irez nulle part!...A MOI MES AMIS! Ils veulent déjà nous quitter!

Qu'est-ce que... ils nous encerclent de partout... mais combien sont-ils?

Il ne faut plus avoir de pitié, FRAPPE! C'est eux ou nous?!...

Mais... ce ne sont que des enfants... je...

40.

FRAPPE! SETSUKO!...

AAAAHHHHHHHHAAAAAHHH!!...

Nous n'y arriverons pas Seminaru!... C'est...c'est démoniaque!!...

Ils sont trop nombreux!!

AAAAAAAHH!!!...

C'est cela, mes amis. Ils l'ont mérité, et surtout faites qu'ils ne puissent plus bouger.

Merci beaucoup, et maintenant, rentrez. Je m'occupe des derniers détails.

Tu te souviens, Setsuko, quand tu étais petite, les enfants ne voulaient pas jouer avec toi... c'est pour ça qu'aujourd'hui on va jouer tous les trois. Vous allez entrer dans mon monde...

Et là, c'est comme le jeu au loup... vous devrez m'attraper avant que je ne vous mange.

Si vous y arrivez, vous serez libres à nouveau... par contre si vous ne réussissez pas, vous m'appartiendrez et vous resterez pour toujours dans mon monde.

Douce enfance et douloureuse expérience...

Que subsiste-t-il encore de ce fragment d'existence...

41

À jamais évanouie ne peux-tu sombrer dans l'oubli.

Hé Seminaru! Mais tu es redevenu un enfant?! Que tu es mignon tout plein!

Évidemment, et tu ne t'en aperçois que maintenant!...

Par contre, toi tu n'as pas changé, même pas dans la tête!

Allez gamine, enlève ton masque si tu l'oses!

Et quoi encore, si je l'enlève petit trouillard, tu vas en faire des cauchemars!

D'ailleurs... MAIS? TU VOIS??!...

Ben oui, c'est vrai. Comme c'est beau, bien que différent de ce que j'imaginais.

Malheureusement, je ne peux me fier à ce que je vois. Ici, tout n'est qu'illusion.

Mais illusion ou pas, je peux contempler ce qui m'entoure pour la première fois...

Et ces images si brèves soient-elles peupleront les nuits où je m'en retournerai.

Ne pleure pas Seminaru. Tu n'es plus seul...

Trouvons ce petit malin qui te fait du mal pour rien.

42

44

Je n'aime pas ce jeu... il est là, j'en suis sûre!

Que c'est beau...

REGARDE LÀ SETSUKO!?...

Je l'ai vu! Il était là, je t'assure!...

Je... je ne vois rien!...

Derrière nous!

Il joue au chat et à la souris avec nous! Tant pis, j'en ai assez, prenons ce chemin, vite on va essayer de lui échapper.

Il se rapproche! Vite Setsuko, il va nous rattraper!

Han! Han!...Je ne peux pas courir plus vite!

43

Fais-moi un signe !... HAN! HAN! Comment savoir... ?

JE NE POURRAI PAS TENIR... VOUS ÊTES TROP LOURDS !

SETSUKO, NE ME LÂCHE PAS !....

IL MENT... JE TE LE JURE !!...

JE NE PEUX PLUS ! OH! Pardon Seminaru, je ... je n'arrive pas à faire un choix...

SETSUKO ? NE M'ABANDONNE PAS !!...

NOOON !!...

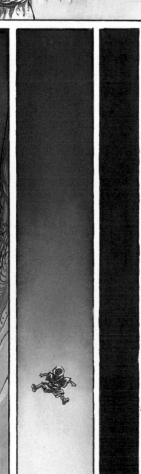

45

La neige... oh merci! Nous sommes sortis de ce cauchemar.

Il fait si froid!... SEMINARU!...

Où es-tu? Tu m'entends ?!...

AH! Tu es là... j'ai eu peur!

Seminaru... que se passe-t-il? Tu es si pâle ...pâle comme la mort...

J'ai froid, trop froid...tout se glace en moi... l'obscurité m'envahit et je ne peux plus la supporter.

Là-bas, j'ai vu de mes yeux ... et plus à travers ceux des autres ...alors comment revenir ?...

Pourras-tu un jour me comprendre? ...

46